KB178130

모험가의 시

모험가의 시

발 행 | 2024년 1월 5일
저 자 | 모험제이
펴낸이 | 한건희
펴낸곳 | 주식회사 부크크
출판사등록 | 2014.07.15.(제2014-16호)
주 소 | 서울특별시 금천구 가산디지털1로 119 SK트윈타워 A동 305호
전 화 | 1670-8316
이메일 | info@bookk.co.kr

ISBN | 979-11-410-6472-3

www.bookk.co.kr

모험가의 시

모험세이 지음

목 차

프롤로그 5 page

1 봄날의 소리
2 달빛의 춤
3 끝나지 않는 하늘
4 소나기의 흔적
5 바다의 노래
6 어둠을 뚫고
7 세상의 모든 꽃
8 추억의 작은 방
9 이별의 발걸음
10 손에 쓴 흔적
11 갈매기의 울음소리
12 산그림의 고요
13 별빛의 나라
14 햇살 속의 얼굴
15 내 마음의 정원
16 창백한 달빛
17 새벽의 기억
18 시간의 흔적

19 닿을 수 없는 꿈

20 빛나는 순간

21 고요한 눈빛

22 여름날의 미소

23 도전의 순간

24 비밀의 문

25 겨울의 향기

26 섬세한 감정

27 눈부신 미래

28 떠나지 않는 희망

29 마음의 여행

30 미소의 전령

31 선명한 색채

32 무지갯빛 꿈

33 나만의 음악

34 비오는 날의 선율

35 소중한 물건

36 햇살 가득한 날

37 서러운 노래

38 새로운 시작의 출발

39 지구의 눈물

40 강인한 나무

41 언덕 위의 풍경

42 온화한 햇살

43 삶의 모험

44 끊임없는 흐름

45 물결의 노래

46 걷는 하루

47 먼 훗날의 약속

48 여유로운 시간

49 고요한 밤

50 떠오르는 아침

51 푸른 하늘의 꿈

52 미소에 감춘 이야기

53 달콤한 사랑의 노래

54 빛나는 별들의 서곡

55 바람과 춤추는 나무

56 작은 바다의 비밀

57 눈부신 얼굴의 향기

58 석양에 물들다

59 강렬한 열정의 불꽃

60 우아한 그림자의 춤

61 감미로운 애수의 난방

62 미래의 꽃향기

63 비오는 날의 소리

64 소박한 일상의 마법

65 바람이 흘러간 계절

66 어린 날의 놀라움

67 사랑의 미소로 가득찬 날

68 흔들리는 가을의 노래

69 현실과 꿈 사이에서

70 맑은 물 속의 비밀

71 간직한 추억의 향기

72 새로운 문 앞의 기대

73 숲 속의 신비로움

74 나만의 작은 천국

75 찬란한 별의 반짝임

76 감동의 순간

77 산들바람의 풍경

78 끝나지 않는 여름의 밤

79 떠돌이 별의 꿈

80 푸른 언덕의 풍경

81 서정적인 밤의 내면

82 미지의 길을 걷다

83 담담한 감동의 노래

84 소나기 뒤의 무지개

85 알려지지 않은 이야기

86 새로운 시작의 햇살

87 숨겨진 감정의 향연

88 풀잎 위의 아침 이슬

89 서러운 노래의 미소

90 노을에 물든 시간

91 새벽의 깨달음

92 강물이 흐르는 언덕

93 햇볕에 물든 손길

94 어둠을 밝히는 등불 .

95 비밀스러운 문 뒤의 세계

96 깊은 밤의 몽상

97 새로운 시작의 선물

98 찬란한 미래의 약속

99 감사한 마음의 노래

100 나만의 작은 우주

에필로그 110 page

프롤로그

이곳은 모험가들의 즐거운 외침이 울려 퍼지는 곳입니다!

"모험가의 시"는 우리 일상을 즐겁게 물들이며 유쾌한 여행을 시작하는 시집입니다

어딜 가든 모험이 넘치고 우리 주변에는 작지만 특별한 모험가들이 숨어 있습니다 우리 모두가 일상의 모험가입니다

'모험가의 외침'을 통해 세상에서 탐험할 수 있는 작은 행복들을 만끽하면 좋겠습니다 삶의 모험은 가벼움과 경쾌함으로 가득하니 함께 흥겹게 뛰어보면 어떨까요?

모험가의 외침이 자유롭게 퍼져나가는 지금 이 순간 여러분과 함께 모험의 첫걸음을 시작합니다 즐겁게 달려봐요 이 여정을 통해 일상 모험가로써 가슴 뛰는 삶을 사시길 바랍니다

1 봄날의 소리

봄날의 소리가 새로운 시작을 알린다
작은 새들의 노래가 강물처럼 흐르며
꽃들이 깨어나 미소를 피우는 순간
봄은 마치 고향의 향기로 내 가슴을 감싸네

좋은 기운이 가득한 이 계절에
햇살은 따스하게 미소 짓고
바람은 새로운 꿈을 전해준다
봄날의 소리는 삶에 활기를 불어넣어

2 달빛의 춤

밤하늘에 펼쳐진 예술
은은한 빛에 춤추는 나비들처럼 경쾌하게
나른한 밤 달빛은 우리 마음에 맴돌아
어둠 속에서도 빛나는 달빛의 흔적

달빛의 춤 시간을 잊게 만드는 그 춤
나른한 소리에 귀를 기울이면 들리는
하나둘 떠오르는 별들의 미소
달빛의 춤 우리 마음에 숨죽여 묻어

3 끝나지 않는 하늘

푸르게 펼쳐진 베일
어기저기 흩어진 구름들이 이야기를 품고
태양은 부드럽게 굴러가며 시간을 노래한다
하늘의 끝을 알 수 없는 무한함 우리 마음에 떠올라

바람이 부드럽게 불어와 어깨에 손을 얹는다
별들이 저녁하늘에 나타나면 꿈속에 빠져든다
끝나지 않는 하늘 삶의 너비와 높이
우리의 꿈과 희망이 떠오르는 곳 그 끝 없는 하늘

4 소나기의 흔적

비 내리는 날의 기억
젖은 땅 위에 남아있는 작은 발자국
구름이 지나가면서 남긴 흔적들은
순간의 감동을 마음에 묻어둔다

소나기가 내린 후 공기는 상쾌하고 맑아지며
햇살은 비친 물방울들을 미소로 바꾼다
작은 흔적들이 마음에 피어나는 순간
소중한 순간을 녹여내어 추억이 될 것이다

5 바다의 노래

끝없이 펼쳐진 푸른 심연
파도가 부서지며 만들어내는 고요한 음악
갈매기의 울음이 바다의 노래에 어울리며
여유롭게 흘러가는 시간의 흔적을 노래한다

바다의 노래 모래 위에 쓰여진 시
채우지 못할 갈증을 달래주는 유로
밀려오는 소리 새겨진 바다의 이야기
무한한 심연에 담긴 우리 마음의 노래

6 어둠을 뚫고

불빛이 흩어지는 길
하늘의 작은 별들이 비치며 마음을 비춘다
밤은 깊어가고   우리의 발걸음은 강하게
어둠 속에서도 빛나는 꿈을 향해 나아간다

어둠을 뚫고   모든 어려움을 이겨내며
반짝이는 희망의 별이 우리를 안내한다
끝없는 어둠이라도   우리의 마음은 밝아지고
어둠 속에 감춰진 빛을 찾아 나서는 순간

7 세상의 모든 꽃

다양한 아름다움을 담다
땅에 피어나는 각양각색의 꽃들이
하늘의 햇살을 받아 빛나고 향기를 풍기며
우리에게 자연의 아름다움을 전한다

무더운 여름에도 힘차게 피어나는 꽃들은
겨울의 추위에도 지치지 않고 희망을 심는다
세상의 모든 꽃 각자의 색깔과 모양으로
우리의 삶을 더 풍성하게 만들어주는 존재

8 추억의 작은 방

작은 창문에 빛이 스며든다
과거의 시간들이 머무르는 그 작은 공간
창문을 열면 추억들이 부드럽게 스쳐 지나가고
작은 방 안에서는 시간의 흔적들이 빛난다

벽에 걸린 사진들은 한 순간의 웃음을 간직하고
작은 서랍 속에는 소중한 편지와 기억들이 쌓여있다
추억의 작은 방   작은 소리들이 흐르는
그곳에서 우리는 언제나 따뜻한 감성을 나눈다

9 이별의 발걸음

서로 멀어지는 그 길
길라진 시간 마음 속에 님은 작은 상처들
걷는 발걸음마다 뒤돌아보는 그 순간
이별의 아픔을 감싸고 걸어가는 그 길

마주치던 두 손 서서히 흐려지는 풍경
우리의 이야기가 묻히는 곳으로 향하면
이별의 발걸음은 어딘가에서 서로를 기억하며
새로운 시작을 꿈꾸는 그 길로 향한다

10 손에 쓴 흔적

지난 날들의 기억들
발자국마다 살아 숨쉬는 나만의 이야기
시간이 흘러도 손에 쓴 흔적은 변함없이
좁은 길과 큰 길 모든 길을 기억한다

손에 쓴 흔적 감정의 흐름을 담아
쓸쓸한 밤과 환한 낮 모든 순간을 품고
행복했던 순간과 서러웠던 순간들이
한 줄기 글씨로 영원히 간직되어 있다

손에 쓴 흔적은 언제나 마음의 한 편
그 글씨 하나하나가 나를 나타내듯
손에 쓴 흔적은 나만의 소중한 삶의 일부
길게 늘어진 그 글씨들이 남긴 나만의 흔적

11 갈매기의 울음소리

바다 위로 울려 퍼진다
끝없이 펼쳐진 피도와 어우러져
갈매기는 자유롭게 하늘을 누비며 울음을 터뜨린다
바다의 노래에 녹아든 갈매기의 울음

바람에 실려 퍼지는 소리는 자유의 날개
하늘과 바다를 오가며 끊임없이 울리는 소리
갈매기의 울음소리는 언제나 마음을 자유롭게 하며
바다의 푸르름과 함께 나의 마음을 여행시킨다

12 산그림의 고요

높게 솟아있는 봉우리에 가득하다
자연의 조용한 숨결이 감싸고 있는 그 순간
나무와 돌 풀이 만들어내는 고요한 풍경
산 중턱에 자리한 작은 마을의 평온한 풍경

바람이 산맥을 넘어와 나뭇가지를 스치면
잠시의 흔들림만이 산그림의 고요를 뒤흔든다
고요한 산세 새들의 지저귐이 숲 속을 메우며
산그림의 고요는 마음의 휴식처가 되어준다

13 별빛의 나라

밤하늘에 떠있는 작은 등불들
무수한 별들이 빛나머 우리에게 꿈을 전해주고
하늘은 마치 반짝이는 보석 상자처럼 빛나고 있다
별빛의 나라   우리 마음을 비추는 곳

어둠이 내릴 때   별빛의 나라에서는
각양각색의 빛깔로 밤하늘을 물들인다
작은 별 하나하나가 우리의 소망을 담아내며
별빛의 나라에서 우리는 희망을 찾아간다

14 햇살 속의 얼굴

따스한 빛에 물들다
눈부신 햇볕이 얼굴에 닿을 때
그 순간 우리는 세상의 모든 아름다움을 느낀다
햇살 속에 비치는 얼굴 자연의 마법 같아

바람이 부드럽게 스쳐가면
얼굴에 간직한 햇살의 따스함이 느껴진다
햇살 속의 얼굴은 모든 것을 환하게 물들여주고
우리의 마음까지 따뜻하게 만들어준다

15 내 마음의 정원

각양각색의 꽃들이 피어있다
사랑의 꽃 희망의 꽃 그리고 기쁨의 꽃들이
마음의 정원에서 아름답게 피어나고 있다
내 마음의 정원 삶의 각종 감정들의 꽃밭

때로는 작은 꽃 한 송이가 큰 행복을 안겨주고
가끔은 비오는 날에도 꽃들이 햇살처럼 빛난다
내 마음의 정원은 나만의 작은 세계
여기서 나는 나만의 휴식과 안식을 찾아간다

16 창백한 달빛

밤하늘에 가로지르는 은은한 빛
달은 조용히 하늘을 비추며 우리를 감싸안고 있다
창백한 달빛 아래   어느 곳에서나 우리의 마음은
평온함과 고요함으로 가득 차 있다

달빛이 내린 밤   그 순간은 마치 시간이 멈춘 듯
창백한 달빛이 우리의 마음을 꿰뚫어 보는 듯하다
달빛 속에 감춰진 이야기   창백한 달빛이
우리에게 들려주는 어딘가의 이야기

17 새벽의 기억

아침이 깨어나기 전의 순간들
햇살이 손짓하면서 창문 너머로 스며든다
새벽의 기억은 조용하고 차가웠던 그 때를
부드럽게 감싸주며 마음에 남아있는 순간들

새벽의 기억은 새벽 풍경과 함께 떠오르며
조용한 거리에 깊이 파인 그림자와 빛의 놀이
새벽의 기억은 마치 시간을 담아둔 듯하게
우리의 일상에 미소를 전하며 흐른다

18 시간의 흔적

세월의 흐름에 남은 흔적들
시계 바늘이 가르키는 작은 숫자들 사이에
우리의 삶이 흘러가고   시간이 흔적을 남긴다

발자국처럼 세월은 땅에 자취를 남기며
우리의 삶은 하루하루 길게 펼쳐진다
시간의 흔적은 우리의 성장과 변화를
담아내며   지난 날들이 마음에 남아있게 한다

시간의 흔적은 가끔은 작은 기억의 새김처럼
묵묵히 쌓여가고   가끔은 큰 사건의 기록으로 남는다
우리의 삶은 시간의 흔적으로 가득 차 있고
그 흔적들이 우리를 더욱 풍부한 존재로 만든다

19 닿을 수 없는 꿈

하늘 높이 떠 있는 구름처럼
우리 마음 속에 피어나는 푸른 이상향
먼 곳에 있는 그 꿈이 언젠가는 닿게 될까
닿을 수 없는 꿈이라 해도 품고 있는 마음

꿈은 작고 크게 다양하게 펼쳐져
하루하루를 채우며 우리를 이끌어갑니다
닿을 수 없는 꿈이라 해도 그 꿈을 향한
노래처럼 빛나고 우리를 끊임없이 사로잡습니다

닿을 수 없는 꿈 그 꿈을 향해 달려가는
한 걸음 한 걸음이 소중하게 느껴집니다
꿈은 언젠가 현실이 될 순간을 위해
우리를 지속적으로 동기부여합니다

20 빛나는 순간

시간이 멈춘 듯한 아름다움
햇살이 마음을 비추어주면서 눈부신 순간
작은 것들이 크게 빛나고 순간의 아름다움이
우리의 기억 속에 빛나는 순간이 되어간다

바람이 부드럽게 흔들리면서 자연은
더욱 아름다워지고
우리 주변의 모든 것이 눈에 띄게 빛나는 순간
빛나는 순간은 우리의 삶을 더 풍성하게 만들어주고
그 속에서 우리는 행복하고 따뜻한 감동을 느낀다

21 고요한 눈빛

말보다 더 많은 이야기를 담다
눈 속에 흐르는 감정들이 부드럽게 흩어져
마음의 고요함이 느껴지는 순간
그 눈빛은 말보다 더 따뜻한 소통이 된다

고요한 눈빛 마주치는 순간에 우리는
언어 없이 서로를 알아가고 공감한다
말이 필요 없는 그 순간에 고요한 눈빛은
우리의 마음을 한결같이 전해준다

22 여름날의 미소

햇살 가득한 환한 미소
더운 날씨도 미소 한 방울로 식혀지며
여름바다의 물결처럼 상쾌함이 퍼져나간다
여름날의 미소는 마음을 활기차게 만든다

시원한 음료수처럼 여름날의 미소는
우리 주변을 환하게 물들이며 즐거움을 전한다
여름날의 미소 마음을 가볍게 만들어주며
햇살 가득한 날의 행복한 순간을 상기시킨다

23 도전의 순간

앞에 펼쳐진 새로운 길
우리는 두려움을 이기고 앞으로 나아가며
도전의 순간은 성장과 발전의 시작이다
어려움 속에서도 희망의 불씨를 키우는 순간

도전의 순간 자신을 뛰어넘는 놀라움
한 걸음 한 걸음이 우리를 더 멀리로 이끈다
우리가 마주한 도전의 순간은 우리를
강하게 만들고 더 나은 미래로 향하게 한다

24 비밀의 문

고요한 정원 한복판에 서 있다
눈에 띄지 않는 작은 문이 마치 이야기의 시작처럼
비밀의 문 너머엔 무엇이 기다리고 있을까?
한 발 내딛을 때마다 마음은 설렘에 가득하다

비밀의 문을 열면 어디론가 떠날 듯한
환상의 세계가 펼쳐진다   어린 시절의 꿈처럼
비밀의 문 너머엔 모험이 기다리고 있고
우리는 언젠가 그 문을 열어 모험에 떠날 것이다

비밀의 문은 마음속의 모험의 시작
여기는 우리만의 비밀의 세계   마음은 자유롭게
비밀의 문을 열고 나서면 세상은 새롭게 빛난다

25 겨울의 향기

찬바람에 실려오는 청량함
하얀 눈이 땅을 덮으면서 항기가 퍼진나
소나무의 향기와 함께하는 찬란한 겨울날
겨울의 향기는 마음을 어루만져준다

벽난로에서 나는 나무 타고의 따뜻한 향기
깜짝 놀랄 만큼 강한 차가운 바깥의 공기
겨울의 향기는 마치 산소처럼 신선하게
코끝을 간직하며 우리를 감싸 안는다

26 섬세한 감정

마음 속 깊숙한 곳에서 느껴지는
작은 감동과 흐르는 감정들의 파동   섬세한 감정은
작은 것에도 민감하게 반응하며 우리를 아름답게
만든다

봄바람이 스쳐가면서 꽃들이 흔들리듯
섬세한 감정은 마음을 살며시 흔들어놓는다
우리의 눈에 담긴 감정의 미소나 눈물은
작고 섬세하지만 큰 의미를 안고 있다

마음 속에서 느껴지는 섬세한 감정은
우리 삶에 따뜻한 색채를 더해주고
작은 순간들이 큰 행복으로 이어지게 만든다

27 눈부신 미래

우리의 꿈이 펼쳐지는 곳
희망의 빛이 나있는 그 곳에서는
우리의 노래가 퍼져나가고 햇살처럼 밝아진다
눈부신 미래는 우리의 노래로 가득 찬다

미래의 문이 열리면 우리는 함께 걸어가며
모든 어려움을 이기고 꿈을 이루어낸다
눈부신 미래 그 안에는 무한한 가능성이 펼쳐져
우리의 노래와 함께 창조되는 미래의 이야기

28 떠나지 않는 희망

어두운 시간에도 빛나는 불꽃
마음 속 깊은 곳에서 흘러나오는 끝없는 힘
어려움에도 불구하고 떠나지 않는 희망이
우리의 마음을 지켜주고 이끌어준다

희망은 마치 봄비처럼 찾아오는 것
가슴에 촉촉한 소망의 꽃을 피우는 순간
떠나지 않는 희망은 언제나 우리를 지지하고
어둠을 밝히며 미래를 더 밝게 만든다

29 마음의 여행

감정의 바다를 항해하는 순간
떠도는 구름처럼 가벼운 마음으로
우리는 자유롭게 세계를 탐험한다
마음의 여행은 끝없는 모험이다

새로운 감정들이 마음을 풍요롭게 만들며
마음의 여행은 다양한 경험을 안겨준다
가끔은 작은 행복의 섬에 닿아
마음의 여행은 힐링의 시간이 된다

마음의 여행은 마치 창백한 달빛이 비치는
고요한 밤의 바닷가처럼 아름다워지고
우리는 마음을 떠나 보내며 새로운 모험을 꿈꾼다

30 미소의 전령

작은 입가에 깜짝 나타나는 빛
미소는 마음의 화살을 날려 풍요로운 기쁨을
안겨준다
미소의 전령은 언제나 긍정과 따뜻함을 전하며
우리 주변을 밝게 만들어간다

어떤 어려움에 부딪혀도 미소의 전령은
마음의 힘을 일깨우며 앞으로 나아가게 한다
미소는 언어의 장벽을 넘어서며
마음과 마음이 소통하는 다리 역할을 한다

미소의 전령은 우리 삶에 빛을 비춰주고
미소가 있는 곳에는 희망과 사랑이 함께한다

31 선명한 색채

화려한 무지개처럼 피어나는 순간
색다른 감정들이 마음을 가득 채우며
세상은 선명한 색채로 물들인다
우리의 삶을 화려하게 물들인다

봄바람에 날리는 꽃잎처럼 색채는 자유롭게
우리 주변을 물들여 삶에 활력을 불어넣는다
선명한 색채는 어둠을 밝게 비춰주고
우리의 마음을 향기롭게 만든다

세상의 각 부분에는 다양한 색채가 있듯이
우리 삶도 다양한 경험과 감정으로
선명한 색채로 아름답게 물들여진다

32 무지갯빛 꿈

푸르른 하늘처럼 펼쳐진 미래
꿈은 마음을 날려보내고 불가능을 가능으로 만든다
무지갯빛 꿈은 우리의 희망의 배경이 되어
단순한 순간을 더 특별하게 만들어준다

꿈은 마음의 날개 높은 하늘을 향해
우리를 안내하고 새로운 모험으로 이끈다
무지갯빛 꿈은 언제나 새로운 시작을 알리며
우리의 인생을 아름답게 수놓아간다

꿈은 언제나 희망의 씨앗을 심어주고
무지갯빛 꿈은 그 희망을 현실로 만들어간다
우리의 꿈은 무한한 가능성의 문을 열고
무지갯빛 꿈은 미래로 향하는 길목에 서 있다

33 나만의 음악

마음의 소리가 흘러나오는 순간
리듬은 우리의 심장과 함께 떨리며
멜로디는 감정의 향기를 전하고 있다
나만의 음악 마음을 자유롭게 춤추게 만든다

계절이 변해도 나만의 음악은
언제나 나를 따라다니며 함께한다
음악은 마치 마음의 동반자
우울할 때 위로가 되고 즐거울 때 함께 춤추는 친구

나만의 음악은 삶의 모든 순간을 담아내며
우리의 기억과 감정을 음악으로 표현한다
그 소리는 나만의 세계를 만들어주고
나만의 음악은 삶에 색다른 조화를 더해간다

34 비오는 날의 선율

빗방울이 작은 듯 큰 듯
창가에 떨어지면서 작곡되는 우리의 노래
비는 마음 속에 선율을 불러오며
우리를 차분하고 아름답게 감싼다

비오는 날의 선율은 마치 피아노 건반처럼
가볍게 손끝에서 만들어지며
신비로운 울림을 남긴다

강한 소리로 떨어지는 비도 있고
가끔은 조용하게 적셔 내리는 비도 있는데
그 선율은 우리를 마음 깊숙이 다가오게 한다

비오는 날의 선율은 언제나 마음을 다독여주고
우리의 일상을 아름답게 만들어준다
비 속에서 우리는 선율과 함께 삶의
멋진 소리를 듣게 된다

35 소중한 물건

가치 있는 추억을 안고 있는 것
작은 사물이라도 마음에 담긴 의미는 크다
소중한 물건은 마치 시간의 여행자처럼
과거의 순간을 현대로 데려와주는 것 같다

그 소중한 물건은 단순한 물리적인 형태를 넘어서
우리의 마음과 기억을 담아낸다
때로는 사진 한 장 편지 한 통
작은 유물 하나하나가 소중한 순간을 되새기게 한다

소중한 물건은 삶의 여정에 함께하며
우리를 더 풍요롭게 만들어준다
작은 것일수록 그 무게는 크고
소중한 물건은 우리 삶에 특별한 의미를 부여한다

36 햇살 가득한 날

하늘은 맑고 밝게 빛나고
따스한 햇살이 땅 위로 쏟아져 우리를 감싼다
햇살 가득한 날　마치 자연의 포옹을 받은 듯
우리는 기분 좋게 미소를 지어간다

바람은 부드럽게 스쳐가면서 햇살과 함께
꽃들이 흔들리며 삶의 활력을 전한다
햇살 가득한 날　마음은 가벼워지고
모든 것이 환한 빛으로 물들어간다

햇살 가득한 날은 삶에 희망의 노래를 부르게 하며
새로운 시작을 알리는 아름다운 순간이다
자연은 우리에게 햇살 가득한 날을 선물하듯
삶의 아름다움을 느끼게 만들어준다

37 서러운 노래

마음 깊은 곳에서 울려 퍼지는
가슴 아픈 감정들을 담아낸 음악
서러운 노래는 눈물과 함께 마음을 울린다

가사 속에는 이별의 아픔 그리움
혹은 지난 날의 추억이 담겨져 있어
서러운 노래를 듣는 순간 마음은 울림에 젖어든다

서러운 노래는 때로는 과거의 상처를 회상하게 하고
때로는 현재의 감정을 불러일으킨다
하지만 그 속에서 우리는 어떤 이유로 인해
서러운 감정을 노래와 함께 나누며
마음을 정리해나간다

38 새로운 시작의 출발

미지의 세계로 나아가는 순간
한 장의 공책을 펼치듯 미래는 앞으로 펼쳐진다
새로운 시작은 언제나 기대와 설렘이 가득하며
우리의 인생에 새로운 챕터를 더해간다

떠나야 할 곳이나 해야 할 일이 있을 때
새로운 시작은 도전의 문을 열어준다
처음의 한 발자국이 새로운 모험의 시작이 되고
우리의 꿈과 희망이 현실로 나아가는 길을 열어간다

새로운 시작의 출발은 마치 봄바람이 스치는 것처럼
상쾌하고 산뜻한 느낌이 우리를 감싼다
그 출발은 언제나 우리에게 무한한 가능성을
약속하며 미래로 나아가는 여정을 예고한다

39 지구의 눈물

우리가 함께 나눠야 할 소중한 감정
자연이 울면서 표현하는 지구의 눈물
떠오르는 환경문제와 생태계의 위협에 대한
우리의 생각을 담아낸다

지구의 눈물은 마치 고요한 바다처럼 깊고 폭넓은
우리의 연결된 마음을 나타낸다 물결처럼 번쩍이는
지구의 눈물은 우리에게 환경을 지키고 사랑하는
소중함을 깨닫게 한다

또한   지구의 눈물은 우리의 소확행과
감동의 순간에도 마주할 수 있다
이 눈물은 인간과 자연 우리 모두를 한없이
연결시켜주며 우리의 삶을 더 깊게 응원해준다

40 강인한 나무

바람에 흔들리지만 뿌리는 흔들리지 않는다
어떤 가시도 그 아름다움을 막지 못하듯
강인한 나무는 우리에게 힘과 용기를 전한다

봄에는 싹이 트고 여름에는 푸릇푸릇한 잎이
피어나며 가을에는 다양한 색깔의 잎들이 바람에
날아가지만 강인한 나무는 겨울에도 바람과
추위에 맞서며 존재감을 지속한다

우리의 삶도 마찬가지로 어려움에 부딪혔을 때
강인한 나무처럼 꼿꼿이 버텨내며 자라나야 한다
강인한 나무는 자연과 함께 변화하면서 자신만의
아름다움을 완성한다

41 언덕 위의 풍경

초록으로 덮인 작은 언덕
그 위에는 미치 자연이 그린 풍경처럼
아름다운 풍경이 펼쳐져 있다
언덕 위의 풍경은 마치 동화 속 세계같다

언덕 위로 바람이 스쳐가면서 풍경은
부드럽게 흔들리고
하늘은 푸르게 더욱 환하게 빛난다
언덕 위의 풍경은 눈앞에 펼쳐진 자연의 아름다움에
우리의 마음은 감탄하게 된다

언덕 위의 풍경은 한 마디로 설명하기 어려울 만큼
다양하고 아름다운 풍경들이 모여있다
우리는 언덕 위의 풍경을 바라보며
자연에 대한 경외와 존경의 마음을 표현한다

42 온화한 햇살

마음을 따스하게 감싸는
아름다운 햇볕이 땅 위로 내리쬐는 순간
온화한 햇살은 우리 주변을 따듯하게 만든다

바람에 흩날리는 작은 꽃들도 햇살 속에서
풍성하게 자란다   온화한 햇살은 삶의 희망과
긍정을 전하며 우리를 밝은 미래로 이끈다

온화한 햇살은 마치 어머니의 따뜻한 손길처럼
우리를 안심하게 하고 힘을 주는 것 같다
우리의 마음에 스며들어 기쁨을 안겨주는
온화한 햇살   그 햇살은 삶을 더 풍요롭게 만든다

43 삶의 모험

알 수 없는 길을 걷는 순간
우리는 지신올 찾아가녀 세계를 탐험한다
모험은 우리를 새로운 경험과 만남으로 이끄는
삶의 큰 도전과도 같다

어려움이 있을지라도 삶의 모험은 우리를
성장과 발전으로 이끄며 새로운 가능성을 보여준다
한계를 뛰어넘는 순간 우리는 모험의 영역으로
자신을 더 높이고 넓게 펼친다

삶의 모험은 눈앞의 작은 변화에서부터
큰 도전까지 다양한 형태로 찾아온다
우리는 그 모험을 통해 더 많은 것을 배우고
자신의 존재를 더욱 깊게 이해하게 된다

44 끊임없는 흐름

삶의 여정을 이어가는
시간과 순간이 끊임없이 흘러간다
강물처럼 푸르게 흐르는 흐름은
우리의 삶을 아름답게 만든다

봄에서 여름 가을을 거쳐 겨울까지
자연의 계절도 끊임없이 순환한다
끊임없는 흐름은 우리의 삶을 변화로
채워주고 새로운 기회를 가져다준다

끊임없는 흐름은 때로는 시련과 어려움을
가져오기도 하지만 그 안에는 삶의 무한한
가능성과 풍요로움이 담겨 있다 흐름을 따라가며
우리는 계속해서 성장하고 발전한다

45 물결의 노래

바닷가에서 들려오는
부드럽고 우아한 물소리
물결은 마치 자연이 부르는 듯한
아름다운 노래를 우리에게 전한다

물결은 여름에는 시원한 노래를 흥겨운
비치 파티처럼 부르고 가을에는 차분하고
선명한 음색으로 우리의 귀를 즐겁게 한다
겨울에는 정적인 소리로 마치 자장가를 부르며
우리를 편안하게 안아준다

물결의 노래는 자연과의 소통 평화로운
시간을 선사하며 우리에게 힐링을 선사한다
마치 물결의 흔적처럼 삶에는 흐름과
조화로운 노래가 항상 존재한다

46 걷는 하루

발 밑에 깔린 길을 따라
한 걸음 한 걸음을 내디뎌가는 순간들
걷는 하루는 우리의 삶을 이끄는
소소한 모험이 고스란히 담겨 있다

어딜 가든 걷는 하루는 새로운 발견으로
가득하며   도로 위에는 다양한 이야기가
펼쳐진다   걷는 하루는 우리의 감각을
새롭게 일깨우며   주변의 아름다움을 느끼게 한다

때로는 길게 뻗은 나무들이 우리를
서늘하게 그늘진 곳으로 안내하고
때로는 햇살이 따스하게 비치는 길목에서는
마음이 편안하게 느껴진다
걷는 하루는 삶의 여정을 함께 하는데
여기저기 뿌려진 흔적은 우리의 이야기를
아름답게 그려낸다

47 먼 훗날의 약속

시간이 흐른 미래에
우리는 서로의 약속을 지키며 만날 것이다
먼 훗날의 약속은 마치 노래처럼
우리의 마음을 더욱 풍요롭게 만든다

먼 훗날의 약속은 마치 멀리 떠난 친구를
다시 만날 것처럼 기대를 가득 담아둔다
우리는 그 약속을 지켜가며 삶의 여정을
함께 나누어 나갈 것이다

먼 훗날의 약속은 마치 먼 곳에서 불어오는
바람처럼 시원하고 상쾌한 기운을 가져온다
우리의 마음은 먼 훗날의 약속을 향해
언제나 설레고 희망차게 뛴다

48 여유로운 시간

시간의 흐름을 느긋하게 즐기는
한가로운 순간들이 모여 이루어지는 소중한 시간
여유로운 시간은 바쁜 일상에서 벗어나
우리의 마음을 안정시켜주는 특별한 선물이다

물결처럼 부드럽게 흘러가는 여유로운 시간은
마치 산책을 하듯 자연과 어우러져
더욱 특별하게 느껴진다
시간을 통해 쌓아온 경험과 기억을 돌아보며
여유롭게 생각에 잠기는 것도 여유로운 시간의
일부이다

여유로운 시간은 창백한 달빛 아래 펼쳐지는
맑은 밤하늘처럼 맑고 고요하게 흐른다
우리는 여유로운 시간 속에서 삶의 아름다움을
새롭게 발견하며 풍요로움을 느낄 수 있다

49 고요한 밤

어둠이 땅을 감싸는 그 순간
별빛이 하나 둘 나타나면서 밤하늘은 환하게 빛난다
고요한 밤은 마치 자연이 잠든 듯 조용하고 평화롭게
흐른다

바람이 부드럽게 스쳐가면서 나뭇잎이 속삭이고
고요한 밤은 마음의 소음을 씻어내듯 정화시켜준다
별들은 우리에게 생각을 풀어낼 공간을 만들어주며
고요한 밤은 마치 새로운 시작을 준비하듯 느껴진다

고요한 밤 마음의 문을 열고 우리는 조용히
자신과 소통하며 고요함 속에서 생각에 잠긴다
밤은 무한한 가능성을 품고 우리는 그 속에서
새로운 꿈을 꾸고 희망을 안고 잠든다

50 떠오르는 아침

해가 땅 위로 솟아오르는 순간
어둠이 서서히 밀려나고
아침 햇살이 모든 것을 밝힌다

떠오르는 아침은 마치 자연이 깨어나는 소리와 함께
우리의 마음도 신선하게 정화되는 듯하다

새들의 지저귐이 아침을 알리며
풀잎에 이슬이 반짝인다
떠오르는 아침은 새로운 시작을 알리면서
우리에게 희망과 활력을 안겨준다

아침 햇살은 어둠을 밝혀내고
떠오르는 아침은 우리에게 또 다른 하루의 기회를
선물해준다   이 아침이 우리의 일상을 빛나게 만들고
새로운 가능성을 기다리게 한다

51 푸른 하늘의 꿈

하늘을 덮은 맑고 청명한
푸른 빛깔이 마치 꿈과 같이 아름답게 빛난다
푸른 하늘의 꿈은 자유로움과 평화의 상징이다

하늘에는 흰 구름이 자유롭게 떠다니며
푸른 하늘은 우리의 마음을 편안하게 만든다
하늘에 떠오르는 햇살은 푸른 하늘의 꿈을
빛나게 만들어주고   우리를 감동으로 채운다

푸른 하늘의 꿈은 마치 우리의 미래와 희망을
상징하는 듯하다   하늘처럼 넓고 무한한 가능성을
품은 꿈은 우리를 더 크게 꿈꾸게 만든다

52 미소에 감춘 이야기

얼굴에 미소를 띄우면서
감춰진 감동과 기쁨 슬픔의 순간들이 담겨있다
미소에 감춘 이야기는 마치 마음의 비밀 보관함처럼
우리의 감정을 담아두는 특별한 공간이다

눈빛 속에는 미소에 감춘 이야기가 반짝이며
상대방과의 소통을 즐겁게 만든다
미소는 때로는 고난과 어려움을 이겨내는 힘을
갖게 해주며 때로는 행복한 순간을
나누는 역할도 한다

미소에 감춘 이야기는 우리가 가진 감정의 다양성을
표현하고 주변과의 소통을 더욱 따뜻하게 만든다
그 속에는 우리의 인생 여정을 담아낸 소중한 이야기
가 있다

53 달콤한 사랑의 노래

마음을 담아 부드럽게 흐르는
사랑의 선율이 마치 달콤한 꿀처럼 마음을 감싼다
달콤한 사랑의 노래는 서로를 이해하고 공감하는
따뜻한 감정이 녹아있어 마치 음악처럼 아름답다

노래의 가사 속에는 달콤한 순간들이 떠오르며
우리의 사랑은 음악으로 표현된다 소리의 파동은
마치 서로의 마음이 닿는 듯한 기분을 준다
달콤한 사랑의 노래는 때로는 목소리의 애절함
때로는 멜로디의 우아함으로 사랑을 노래한다

사랑의 노래는 마치 달콤한 초콜릿처럼
우리의 일상에 달콤한 휴식을 선사하며
서로에게 달콤한 감동을 선물해준다

54 빛나는 별들의 서곡

밤하늘을 장식하는
별빛들이 하나 둘씩 음악처럼 펼쳐지는 풍경
빛나는 별들의 서곡은 마치 우주의 신비한
음악회에 초대받은 듯한 아름다움이다

별들은 마치 은은한 노래로 우리의 밤을
조용히 채워주며 별자리는 음악의 악보처럼
하늘에 그려진다 빛나는 별들의 서곡은
우리의 마음을 감동시키고 새로운 꿈을 심어준다

밤하늘에 떠오르는 별들은 각자의 음성으로
하나의 아름다운 서곡을 창작한다 별빛이
우리를 안심하게 하며 빛나는 별들의 서곡은
우주의 신비로움과 아름다움을 느끼게 한다

55 바람과 춤추는 나무

바람이 부드럽게 불 때
나무는 그 운동에 따라 우아하게 춤을 추듯이
가지를 흔들며 자연의 아름다움을 표현한다

바람과 춤추는 나무는 마치 은은한 음악에
맞춰 춤을 추는 무용수처럼 우리의 시선을
사로잡는다
가지와 잎사귀가 바람에 흔들리면서 자연은
하나의 아름다운 퍼포먼스를 선보인다

바람과 춤추는 나무는 자연의 조화와 우아함
그리고 삶의 순환을 상징한다   나무는 어떤
환경에서도 용기 있게 자라나며 바람과 춤추듯이
우리에게 자유와 아름다움을 선사한다

56 작은 바다의 비밀

소리 없이 파도가 밀려오면서
작은 모래사장에 흔적을 남긴다   작은 바다의 비밀은
마치 속삭이는 듯한 파도 소리에 감춰져 있다

해변에서는 작은 조개와 소라 등 작은 보물들이
파도와 함께 모래 속에 감춰져 있어
마치 작은 보물섬 같은 느낌을 준다
작은 바다의 비밀은 모래 속에
담긴 작은 이야기들로 가득하다

바닷물은 작은 비밀을 간직하듯이 부드럽게 물결을
만들어내고   작은 바다의 비밀은 햇볕에 반짝이며
우리에게 작은 행복을 선사한다   작은 바다의 비밀은
언제나 우리를 신비롭고 아름다운 세계로 초대한다

57 눈부신 얼굴의 향기

마치 꽃들이 만발한 정원처럼
얼굴에서 풍겨나오는 달콤하고 상큼한 향기
눈부신 얼굴의 향기는 마치 사랑스러운 꽃 한 송이가
햇살 속에서 향기를 풍기는 듯한 아름다움이다

햇볕에 녹아든 듯한 피부는 마치 얼굴에서
선명한 향기가 피어나는 듯한 느낌을 준다
눈부신 얼굴의 향기는 마치 여름바다에서 싱그러운
바다향이 우리를 감싸는 듯한 상쾌함이 있다

얼굴의 향기는 우리를 향한 사랑과 섬세한 관심
눈부신 아름다움이 담긴 특별한 향기이다
얼굴의 향기는 우리의 마음을 설레게 만들며
순수하고 아름다운 감성을 전해준다

58 석양에 물들다

저녁 노을이 하늘을 채우면서
빛나는 태양은 가까워지며 세상을 따뜻하게 만든다
석양에 물들다는 마치 자연이 그린 아름다운 수채화
하루의 끝을 은은하게 표현한 듯한 풍경이다

불꽃놀이처럼 붉게 물든 석양은 마치 시간이 멈춘 듯
우리를 멈춰서게 만든다 저녁 노을은 우리의 마음에
따스한 감동을 전하며 하루의 마무리를 빛나게 한다

석양에 물들다는 마치 시간의 흐름을 담은 예술작품
자연이 살린 아름다움에 우리는 감탄하며 휴식을 취
한다

59 강렬한 열정의 불꽃

마음 깊숙이 타오르는
열성의 불꽃은 마치 어둠을 밝히는 횃불처럼 빛난다
강렬한 열정의 불꽃은 어떤 어려움에도 굽히지 않고
끊임없이 높게 솟아나는 듯한 힘이 있다

불꽃은 어둠을 밝히며 열정은
우리를 움직이게 만든다
강렬한 열정의 불꽃은 꿈을 향해
불타는 마음을 상징하며
좌절과 어려움을 이기고자 하는
강인한 의지를 나타낸다

마치 불꽃이 어둠을 밝혀주듯 강렬한 열정은
우리의 길을 비춰주고 힘을 주어 새로운 도전에
마음을 다해 나아가게 만든다

60 우아한 그림자의 춤

빛과 그림자가 만나는
아름다운 순간 속에서 펼쳐지는 우아한 춤
우아한 그림자의 춤은 마치 무거운 날의 끝에
가볍게 피어오르는 달빛처럼 아름다움이다

그림자는 마치 예술가가 그린 한 장면처럼
우리에게 아름다운 이야기를 품고 춤출 것처럼
보인다 우아한 그림자의 춤은 시간이 멈춘 듯
우리를 감동시키고 미적 감각을 자극한다

빛과 그림자의 조화는 마치 우리의 삶에서
다양한 감정과 경험이 어우러져 아름다운
하나의 예술작품으로 펼쳐지는 듯한 느낌을 준다
우아한 그림자의 춤은 우리의 삶을 은은하게
아름답게 표현해준다

61 감미로운 애수의 난방

차가운 밤   나른한 안방에
감미로운 애수의 난방이 흐르고 있어
오래된 피아노의 울림 속에

추억들이 떠오르고
차가웠던 내 마음에
따뜻한 감정이 스며들어
난방기처럼 피아노의 소리가
감정의 간극을 메우며
가슴 깊숙한 곳까지 녹아들어

감미로운 애수의 난방은
내 마음을 따뜻하게 달구어주고
잠든 추억을 깨우는 듯해
밤은 깊어가고   피아노의 소리는
점점 가라앉아가면서도
감미로운 난방은 계속되어간다

62 미래의 꽃향기

작은 씨앗에서 피어나는
희망의 향기로 가득한 것

꽃잎 하나하나가
마치 미래의 가능성을
미리 알려주는 듯한 아름다움

미래의 꽃향기는
우리의 꿈과 목표를
새롭게 향기롭게 만드는 순간

꽃이 핀다면 그곳엔
미래의 꽃향기가 피어나며
새로운 시작을 알린다

63 비오는 날의 소리

좋은 책을 펴고 차를 마시며
창가에 앉아 듣는 소중한 음악
비바람이 불어오면서
유독한 냄새가 퍼지고
땅에 떨어지는 빗방울 소리

비오는 날의 소리는
마음을 가라앉히고
생각에 잠기기 좋은 시간

창문 밖으로 보이는
비의 흐름은 마치
감정의 흐름을 닮아가는 듯

비오는 날의 소리는
하루를 정리하고
마음에 깊이 새기는 특별한 순간

64 소박한 일상의 마법

작은 순간에 감춰진
평범한 일상 속의 특별함
마치 일상이 마법사의 손에
닿으면서 하나하나가
화려하게 빛을 발하는 듯

소박한 일상의 마법은
커피 한 잔의 따뜻함이나
담백한 빵 한 조각의 행복

눈에 띄지 않는 그 마법은
마치 마음을 따뜻하게 감싸며
일상을 환하게 물들이는 듯

소박한 일상의 마법은
우리 주변에 자리하고 있지만
가끔은 눈에 띄지 않는 아름다움

65 바람이 흘러간 계절

가을이 깊어지면 마음은 바람에 실려간다
간절한 소망이 나뭇잎처럼 부드럽게 떨어지는데
바람은 그 향기를 휘날려 주고 있다

가을의 낙엽은 간절함을 품어내며 떨어지고
바람은 그 소리를 들려주며 시간을 말한다
이별의 애타는 속삭임과 함께
바람은 시인의 언어로 간직된 마음을 전한다

그리움의 바람이 불어오면
갈매기처럼 자유롭게 나아가고 싶다
바람이 흘러간 계절   우리의 마음은
소망의 씨앗을 품으며 계절을 향해 떠난다

66 어린 날의 놀라움

하늘이 넓게 펼쳐진 것처럼
세상이 얼마나 큰지 깨닫게 하는 순간

꽃 한 송이에 담긴 작은 곤충
나무 그늘에 피어나는 눈의 미소
어린 날의 눈앞에 펼쳐진 놀라움

비오는 날의 소리나 바람의 속삭임
작은 손에 쥔 모래알 하나하나
어린 날의 감동은 작은 것에서 찾아나간다

어린 날의 놀라움은
우리의 눈과 마음을 새롭게 만들어주며
세상이 마법으로 가득 찬 것처럼 느끼게 하는 순간

67 사랑의 미소로 가득찬 날

사랑의 미소로 가득찬 날
하루가 시작되면 늘 햇살처럼 밝게 떠올라

봄이 피어난 듯 따뜻한 기운이 퍼져나가고
사랑의 미소가 마음에 향기로운 꽃을 피워낸다

한 송이 꽃잎처럼 사랑의 미소는
마음을 감싸 안아주며 언제나 환한 햇살을 선사한다

그 미소가 눈에 비치면
세상은 더 아름다워지고
마음은 행복으로 가득 차는 것을 느낄 것이다

사랑의 미소로 가득찬 날
우리는 함께한 순간들을 소중히 기억하며
행복한 미소를 계속해서 만들어나가자

68 흔들리는 가을의 노래

가을 하늘에는 별들이 춤을 춘다
작은 불빛처럼 반짝이며 이야기를 풀어낸다

달콤한 바람이 얼굴에 스치면
한 줌의 향기와 함께 기억이 떠오른다

바다의 물결은 시를 지어내며
모래 위에는 시간의 흔적이 새겨진다

나뭇잎이 지면   마치 작은 소리의 시인이
작은 가을시를 지어내듯이 부서진다

그리고 나는 그 모든 소리를 들으며
가을의 노래에 귀 기울이고
이 시간을 한 편의 시로 풀어내리라

69 현실과 꿈 사이에서

눈 감고 찾아가는 현실과 꿈의 선
한없이 펼쳐진 세계 네게로 떠나는 길

일상의 중력과 꿈의 날개
현실과 꿈이 서로 교차하는 순간

밤하늘에 떠있는 별들은
현실의 무게와 상관없이 빛나고 있어

현실과 꿈이 어울려 춤추는 곳
너와 나 우리의 마음이 만나는 선

그 사이에서 우리는 새로운 이야기를 쓰고
현실과 꿈이 만나는 특별한 공간에서 속삭인다

70 맑은 물 속의 비밀

마치 투명한 물결이
숨겨진 이야기를 말하는 듯한 신비로운 순간
맑은 물 속의 비밀은 마치 물결이 흐르는
아름다운 햇살 속에 감춰진 특별한 보물이다

맑은 물은 마치 시간을 거슬러 가듯
과거의 비밀과 현재의 아름다움을 함께 담아내어
우리에게 전한다

비밀스럽게 흐르는 물의 소리와 함께
맑은 물 속의 비밀은 우리에게 찾아오는
아름다운 발견의 순간을 상상케 한다

71 간직한 추억의 향기

지나간 순간들이 머무르는 곳
간직한 추억의 향기가 흐르는 곳

낡은 앨범 속에 담긴 사진들은
그림처럼 아름답게 미소를 띠고 있다

작은 손길이 닿은 물건들은
시간이 지나도 여전히 따뜻한 향기를 풍긴다

바람이 스치면서 흔들리는 장미꽃
감동과 사랑이 꽃잎처럼 향기를 피우고 있다

우리는 간직한 추억의 향기로
과거의 순간들을 떠올리며 기억한다

그 향기는 선명한 어제의 흔적이자
우리의 삶을 따뜻하게 감싸는 나뭇가지이다

72 새로운 문 앞의 기대

달빛이 흐르는 밤   새로운 문 앞에 서다
문고리의 소리가 향기로운 꽃잎처럼 울리고

기대의 꽃들이 하나 둘 피어나기 시작한다
문을 열면서 느껴지는 순간의 신비

마음의 문을 열고 새로운 세계로 나아가며
발걸음이 곧 우리의 시간을 빚어내리라

문틈 사이로 스며드는 희망의 빛이
가슴 깊숙한 곳에 새겨진 기대를 밝힌다

새로운 문 앞에서 우리는 모두가 시인이 되어
은유의 언어로 세계를 품게 된다

73 숲 속의 신비로움

나뭇잎 사이로 스며드는 햇살
숲 속에 감춰진 신비로운 이야기

나무들이 목소리를 내어 깊은 속삭임
숲 속의 신비는 각자의 이야기를 품고 있다

작은 생명들이 춤추는 곳
숲 속의 신비로움은 어둠을 밝힌다

고요한 숲에서 들리는 새의 노래
숲 속의 신비는 자연과의 조화 속에서 노래한다

우리는 그 신비로운 숲 속에서
새로운 이야기를 찾고 마음을 담아 갈 것이다

74 나만의 작은 천국

고요한 곳에 서 있다
햇살이 부드럽게 비추고 바람이 부드럽게 불어와

작은 꽃들이 미소 지어 피어나며
천천히 흐르는 시간이 행복으로 가득하다

나만의 작은 천국은 꿈과 희망으로 가득하고
마음이 편안한 곳 작은 세상의 특별한 곳이다

어떤 어려움도 그곳에서는 잠시 잊혀지고
나만의 작은 천국에서는 모든 것이 평화롭게 흘러간
다

나만의 작은 천국 그 곳에서는 내가 나다운
평온한 순간들이 꽃처럼 피어나리라

75 찬란한 별의 반짝임

달빛이 은은하게 흐르는 어둠 속
하나둘 켜지는 별들이 마음을 불러온다

각각의 별은 우리의 꿈이자 희망
어둠 속에서 조용히 빛을 내어 주는 친구

우리의 삶도 마치 밤하늘의 별처럼
때로는 가려져 보이지 않을 때도 있지만

그 속에서도 꾸준히 빛을 발하며
우리의 감정과 이야기를 선명히 그려낸다

어둠과 빛이 함께 춤추는 이 순간
우리는 마음의 별들과 함께 감동의 은유를 풀어나갈
것이다

76 감동의 순간

어떤 날   바람은 부드럽게 불어오고
태양은 마음을 따스하게 비추었다
그 순간   마주한 풍경은 마치 우리의 이야기처럼
아름답게 펼쳐져 있었다

마음이 어느새 뛰는 소리가
감동의 서곡처럼 흘러나와
작은 꽃들도 흔들리며 우리에게 속삭였다
시간이 멈추어 있듯   감동의 순간은 영원히
우리의 기억 속에 새겨져 남을 것이다

하나둘   별들이 떠올라 마음에 미소를 짓게 하고
우리의 이야기는 흐르는 강처럼 아름답게 이어져 갔
다

감동의 순간   그 빛나는 순간들이 우리의 시집을
향기롭게 채울 것이다

77 산들바람의 풍경

산들바람이 부드럽게 불어와
산맥의 울림이 마음을 안놓게 했다

고요한 풍경 속   자연의 노래가 흐르며
하늘은 하얗게 푸르게 펼쳐져 있다

들판의 꽃들은 산들바람에 춤추며
그림 같은 순간이 느긋하게 흘러간다

산들바람의 속삭임은 마치 시인의 품격
한 줄기 햇살이 간직한 이야기를 들려준다

산들바람의 풍경   마음을 정화시키는
고요한 여운이 피어나는 아름다운 풍경이다

우리의 이야기도 마치 산들바람처럼
조용한 아름다움으로 채워져 흐르고 있다

78 끝나지 않는 여름의 밤

별들이 춤추는 끝나지 않는 여름의 밤
시간은 마치 멈춘 듯한 신비한 순간이다

달빛이 마음을 적셔주고
바람은 얇은 옷자락을 부드럽게 감싸준다

밤의 고요 속에서는 개구리의 노래가 흘러나오고
나무들은 바람에 소리없이 흔들린다

끝나지 않는 여름의 밤   어둠이라도
따뜻한 빛으로 가득하다

우리의 이야기도 여름의 밤처럼
끝없이 흐르는 아름다움으로 가득할 것이다

79 떠돌이 별의 꿈

하늘 높이 떠돌던 작은 별
꿈을 안고 외로움을 감싸안았다

어둠 속에서 별빛은 빛나며
꿈의 문이 열리는 그 순간

떠돌이 별은 세계의 끝을 찾아
자유롭게 떠돌아다녔다

별빛이 이끄는 길 위에서
떠돌이 별은 자신만의 꿈을 꾸었다

하늘의 대화를 듣고
바람과 춤추는 그 모습은 마치 예술

떠돌이 별의 꿈은 무한한 자유와
끝없는 모험이 깃든 아름다운 이야기다

80 푸른 언덕의 풍경

푸른 언덕 너머 불어오는 바람
하늘이 넓게 펼쳐진다
해밍웨이의 침묵이 느껴지는데
언덕의 푸르름에는 어떤 이야기가 펼쳐질까

잔디밭 위에 흩어진 꽃들은
니체의 힘을 담고 피어난다
도전의 의지가 깃든 푸른 언덕
나의 발걸음이 그 위로 오르는데

고요한 푸른 언덕에서는
깨어있는 삶이 묻어난다
이곳은 나만의 작은 세계
시적인 순간을 담아낼 곳이다

81 서정적인 밤의 내면

달빛이 부드럽게 비치는 밤
가로등이 켜진 길가의 안정된 빛
서정적인 순간 속   나의 내면은 노래한다

어둠 속에 감춰진 감정들이
별빛으로 속삭이듯이 떠오른다
내 마음의 향기가 느껴진다

밤의 고요함에 감싸인 나
한 줌의 시간을 잡아 창가에 앉는다
내면의 감정들이 한 편의 시로 흐른다

서정적인 밤   마음의 조용한 노래
나만의 작은 세계 속에서 피어난다
별들이 빛나는 이 순간   나의 내면이 노래한다

82 미지의 길을 걷다

발자국이 지워진 새로운 흔적
도전의 길을 향해 나아가다
앞에 펼쳐진 미지의 풍경
불안함보다는 호기심이 가득하다

발걸음이 무거울 때도
도전의 열매는 달게 맛있다
때로는 험난한 산길도
그 끝에 기대되는 풍경이 있다

미지의 길을 걷는 순간
나의 내면에서 힘이 솟아난다
도전의 느낌이 물결처럼
가슴을 강하게 타고 흐른다

미지의 길을 걸으며
나만의 이야기를 펼쳐보자

83 담담한 감동의 노래

가을 바람이 부드럽게 스치고
담백한 노래가 마음에 울린다

가사 한 줄 한 줄이 간결하면서도
그 속에 담긴 감동은 크다

청아한 목소리가 이야기를 말하고
멜로디는 마음을 휘감는다

소박한 감동이 큰 울림을 남기며
담담함 속에서 나만의 여운이 남는다

이 노래는 마치 가을의 어느 날
담담한 감동으로 마음을 따스하게 하는 것 같다

84 소나기 뒤의 무지개

비의 춤소리가 사그라들면
하늘엔 무지개가 펼쳐진다

물거품처럼 사라진 구름
남은 건 무지개 하나

빛의 다리를 건너
하늘과 대화를 나눈다

소나기 뒤의 무지개
모든 슬픔을 물려주는 희망의 기회

85 알려지지 않은 이야기

어디선가 흘러나오는 이야기
알려지지 않은 세계의 문을 열어봐

나뭇잎 사이로 스며든 빛
그림자처럼 숨겨진 이야기를 간직하고 있다

눈부신 해가 떠오르는 동안
알려지지 않은 노래가 세상을 감싸는 순간

어느 곳에서나 들리는 듯한
하지만 아직은 알려지지 않은 소리

그 소리에 귀 기울여봐
숨겨진 이야기가 흘러나오고 있다

86   새로운 시작의 햇살

새벽의 창문을 열면
햇살이 부드럽게 스며든다

어둠의 떨림이 사라지면서
새로운 시작이 기다린다

햇살은 어제의 흔적을 씻어내고
마음을 가볍게 만들어준다

새로운 날의 첫 발걸음은
햇살에 은은히 물들어간다

그 빛나는 순간
우리는 과거의 그림자를 떨쳐낸다

새로운 시작의 햇살은
우리에게 미소와 희망을 선물

87 숨겨진 감정의 향연

잠들어 있던 감정들이
마음 깊숙한 곳에서 깨어나
하나둘 무너져내리는 순간

숨겨진 감정들이 춤을 추며
불안 기쁨 그리움의 향연을 연다
가려져 있던 이야기들이 풀리고

마음의 문이 열리면서
서로를 이해하고 공유하는
감정의 노래가 흐르는 공간

숨겨진 감정들의 축제가 펼쳐지는
하나되는 순간 향연은 시작된다

88 풀잎 위의 아침 이슬

풀잎 위의 아침 이슬이
새벽 햇살에 반짝이며
작은 세계에 살아 숨쉬는 듯

아침 이슬은 마치 자연의 숨결처럼
생명을 깨우는 부드러운 속삭임
푸른 잎사귀에 물들어 나아가는 순간

풀잎 위의 아침 이슬은
자연의 아름다움을 담아
작은 세상을 환하게 물들인다

이슬방울 하나하나가
새로운 시작을 알리듯
새로운 하루의 희망으로 번지는 나날들

89 서러운 노래의 미소

서러운 노래의 미소는
가슴 깊숙한 감정을 담아
슬픔의 음색을 따스하게 감싸는 듯

노래는 마치 어둠의 그림자를
한줄기 미소로 밝혀내듯
서러운 감정을 따라 흐르는 순간

서러운 노래의 미소는
언젠가 행복으로 이어질 것을
마음에 약속하듯 빛나는 광경

90 노을에 물든 시간

노을에 물든 시간은
하늘이 마치 색색의 놀이로
얼굴을 내비추는 아름다움

빛나는 노을은 마치
시간의 흐름을 잠시 멈추게 하며
우리의 마음을 따스하게 감싸는 듯

노을에 물든 시간은
하루의 끝을 기다리며
우리를 향한 자연의 선물

노을이 그려내는 풍경은
마치 우리의 삶에 한 층 더
아름다움을 더해주는 장면

91 새벽의 깨달음

새벽의 깨달음은
어둠이 서서히 걷히면서
세상의 조용함이 마음에 전해지는 시간

조용한 새벽은 마치
마음의 소리를 들을 수 있는 듯
깊은 생각에 잠긴 순간

새벽의 깨달음은
무엇보다도 나 자신과의 소통
새로운 하루를 맞이하기 위한 기반

새벽의 풍경은
마치 우리에게 새로운 시작을 알리듯
깨닫게 하는 감성의 시간

92 강물이 흐르는 언덕

강물이 흐르는 언덕은
물결처럼 우리의 삶도 흘러간다
언덕 위로 햇살이 비추어
강은 마치 인생의 여정을
한 편의 시로 풀어낸 듯
끝없는 길을 헤매며 흘러가는 듯

강물이 흐르는 언덕은
흐름에 따라 변화하는 모습
우리의 삶도 끊임없이 흘러가듯
강은 마치 어떤 시점에서는
험난한 언덕을 넘어
더 넓은 풍경을 향해 흘러가듯

강물이 흐르는 언덕은
우리의 성장과 변화의 과정을
묘사하는 자연의 아름다움

93 햇볕에 물든 손길

햇볕에 물든 손길은
따스함으로 가득 차
마음을 어루만져주는 특별한 순간

손길은 마치 삶의 기운을
가볍게 전하듯이
햇볕의 빛을 손에 담아

햇볕에 물든 손길은
사랑과 관심을 전하는
순수하고 아름다운 소통

손이 만들어내는 온기는
마치 마음의 문을 열어
행복과 따뜻함이 새어나간다

94 어둠을 밝히는 등불

어둠을 밝히는 등불은
한 점의 빛으로 무너진 밤을
따스하게 비춰주는 특별한 빛

등불은 마치 우리의 희망을
어둠 속에서 찾아주는
작은 안내자와 같다

어둠을 밝히는 등불은
삶의 어려움에 맞서
불안과 두려움을 쫓아내는 듯

마치 우리의 염려를 떨쳐내고
새로운 길을 찾아 나가는 데 도움을 주는 듯
등불이 만들어내는 빛

95 비밀스러운 문 뒤의 세계

비밀스러운 문 뒤의 세계는
열리기를 기다리며 흥겨운 속삭임이
마음을 설레게 만드는 곳

문을 열면 마치 새로운 모험을
마주하는 듯한 기대와 두려움이
하나로 어우러지는 특별한 순간

비밀스러운 문 뒤의 세계는
가끔은 어두움도 있지만
거기엔 더 큰 희망과 빛이 흐르는 곳

문을 열고 나가면
비밀스러운 세계에서 기다리는
새로운 경험과 소망

96 깊은 밤의 몽상

깊은 밤의 몽상은
마음이 펼쳐지는 시간
몽환적인 꿈이 불러오는 순간

어둠 속에서 마치
새로운 세계를 탐험하듯
상상의 나래를 펼치는 특별한 느낌

깊은 밤의 몽상은
현실과 상관없이 펼쳐지는
자유로운 상상의 여행

몽상 속에서 마주하는
이야기들은 마치 어둠이
새로운 희망으로 바뀌는 순간

97 새로운 시작의 선물

새로운 시작의 선물은
하루의 무게를 가볍게 해주는
기대와 희망으로 가득한 것

선물은 마치 과거의 짐을
한순간에 풀어주는 마법같이
빛과 따스함을 안겨주는 순간

새로운 시작의 선물은
한 새벽의 깨달음과도 같아
새로운 하루를 맞이하는 감동

선물 속에는 더 나은 미래와
끝없는 가능성이
숨겨져 있는 듯한 기대감

98 찬란한 미래의 약속

찬란한 미래의 약속은
빛나는 꿈으로 가득한
우리의 서약과 희망의 순간

미래는 마치 채워지지 않은
한 장의 공백이지만
약속은 그 공백을 채워내는 듯

찬란한 미래의 약속은
하루하루 쌓아가는
눈부신 성장의 결과물

약속은 마치 해가 뜨는 것처럼
우리의 삶에 빛과 따뜻함을
한 슬픔과 기쁨으로 가득 채우며

99 감사한 마음의 노래

감사한 마음의 노래는
마음속의 감동을 선물로
더 넓은 세계로 이끌어주는 듯

노래는 마치 우리의 눈물을
흐르게 하며 감사함을 전하고
마음 속에 피어나는 미소의 노래

감사한 마음의 노래는
삶의 모든 순간을 의미있게
기억하며 나아가는 특별한 음악

노래는 마치 우리의 감사함을
세상에 전하는 작은 선물로
행복한 눈물과 함께 울려나간다

100 나만의 작은 우주

나만의 작은 우주는
마음이 펼쳐지는 특별한 곳
작은 세상에서 큰 꿈을 꾸는 곳

우주는 마치 우리의 상상력을
무한하게 펼쳐주는 듯
끊임없이 발견하고 탐험하고 싶은 곳

나만의 작은 우주는
평범한 일상 속에서도
마음이 자유롭게 펼쳐지는 곳

우주는 마치 우리의 감정을
끝없이 포용하며
다양한 경험을 쌓아나가는 곳

에필로그

"모험가의 시"를 읽어주셔서 감사합니다 우리는 방금 일상이라는 작은 세계에 대한 탐험을 마치게 되었습니다 각자의 삶을 일종의 예술로 바라보는 모험가로서 우리는 흔한 순간에서도 뜻깊은 의미를 발견해낼 수 있다는 것을 깨달았습니다

일상의 모험은 끊임없는 변화와 새로운 시선을 필요로 합니다 마치 한 장의 그림 같은 하루하루 그 안에는 어떠한 철학이 담겨 있습니다 작은 행복과 작은 슬픔 이 모든 것이 우리의 존재의 일부라는 사실을 알게 되었습니다

모험가의 마음으로 일상을 탐험하고 그 속에서 의미를 찾아가는 여정은 아직 끝나지 않습니다 오히려 새로운 모험이 시작되는 것일 뿐입니다 마치 한 장의 책을 덮을 때

그 안에서 찾은 지혜와 아름다움은 우리의 가슴에 계속하여 고요하게 울려 퍼질 것입니다

모험가의 여정은 여전히 계속됩니다 어떠한 날에도 일상은 우리에게 자신만의 의미있는 메시지를 전하리라 믿습니다 저의 작은 외침이 여러분의 일상에 의미와 아름다움을 더해줄 수 있기를 바랍니다 그리고 앞으로도 소소한 일상을 통해 더 많은 모험을 함께 할 수 있기를 기대합니다